Pour Flynn et Blake

**Quelques autres titres
du même auteur**

Les conquérants
Qui est madame Legris ?
Trois monstres
Quatre pommes rouges

La série des Elmer
Elmer
Elmer et Rose
Elmer et tante Zelda
Elmer et l'arc-en-ciel

Texte traduit de l'anglais par Élisabeth Duval

Titre de l'ouvrage original : GEORGE'S INVISIBLE WATCH
Éditeur original : Andersen Press
Copyright © 2007 by David McKee
Tous droits réservés
Pour la traduction française : © Kaléidoscope 2008
Loi n° 49.956 du 16 juillet 1949 sur les publications
destinées à la jeunesse : mars 2008
Dépôt légal : mars 2008
Imprimé en Italie par Grafiche AZ

Diffusion l'école des loisirs

www.editions-kaleidoscope.com

La montre invisible de Georges

T'as vu, elle est invisible !

Texte de **Brett McKee**
Illustrations de **David McKee**

kaléidoscope

Georges savait toujours quelle heure il était.
Et c'était un mystère que personne ne comprenait.

"J'ai une montre invisible", répondait Georges.

Au début, personne ne le croyait,

mais il avait toujours raison.

Alors ses amis décidèrent qu'il disait vrai.

Et les grandes personnes le crurent aussi.

Et bientôt, tout le monde se reposa
sur la montre de Georges.

Parfois, la maîtresse oubliait sa montre…

… ou personne ne pensait à remonter
l'horloge de la salle des professeurs.

Quelqu'un était toujours en train de demander :
"Quelle heure est-il, Georges ?"

Un jour, le concierge eut un malaise au moment
où il s'apprêtait à sonner la fin de la récréation.

Une ambulance fut immédiatement appelée.

Les professeurs en discutèrent
pendant la pause-café.

Dans la cour, les enfants
continuaient de jouer…

… et de jouer.

Le directeur finit par se demander
pourquoi les cours ne reprenaient pas.

Il prit son télescope pour regarder
l'heure au clocher de l'église.

"Ils devraient être en classe depuis belle lurette",
s'écria-t-il en attrapant la cloche.

Les enfants se mirent en rangs
pour retourner en classe.

"Pourquoi n'as-tu pas signalé que
la récréation était terminée, Georges ?"
demanda le directeur.

"Excusez-moi, monsieur, répondit Georges.
J'ai oublié ma montre."
Tous les enfants éclatèrent de rire.

"Allez chercher vos affaires, dit le directeur.
C'est l'heure de la sortie."

"C'était vraiment une super journée,
Georges," dit Brian.

"Oui, dit Georges en souriant.
Et on est sorti dix minutes plus tôt."